손익분기점 200% 활용하기

손익분기점 200% 활용하기

발 행 | 2024년 08월 05일

저 자 | 김범수

펴낸이 | 한건희

펴낸곳 | 주식회사 부크크

출판사등록 | 2014.07.15(제2014-16호)

주 소 | 서울특별시 금천구 가산디지털1로 119 SK트윈타워 A동 305호

전 화 | 1670-8316

이메일 | info@bookk.co.kr

ISBN | 979-11-410-9936-7

손익분기점
200%
활용하기

김범수 지음

김범수 hst5302@naver.com

경영지도사/중소벤처기업부
공인원가분석사/한국원가관리협회
창업보육전문매니저/(사)한국창업보육협회

PDSCMC/대표 컨설턴트(현)
중소벤처기업부 비즈니스사업단/전문위원(현)
한국상공회의소 경기인력개발원 중소기업 훈련지원센터/전문위원(현)
서대문구사회적경제마을자치센터/전문가멘토(현)
경기경영자총협회 중소기업 훈련지원센터/전문위원(전)

블로그: https://blog.naver.com/hst5302
홈페이지: https://www.pdscmc.com

서 문

손익분기점 200% 활용하기:
성공적인 비즈니스를 위한 필수 가이드

여러분이 비즈니스 세계에서 성공을 꿈꾸고 계신다면, '손익분기점 200% 활용하기'는 그 목표를 달성하는 데 큰 도움이 될 것입니다. 이 책은 손익분기점(Break-Even Point, BEP) 이론을 단순히 이해하는 것을 넘어, 이를 비즈니스 전략에 200% 활용하는 방법을 자세히 설명합니다.

손익분기점이란 무엇인가요?

손익분기점은 총수익이 총비용과 같아져서 이익도 손실도 없는 지점을 말합니다. 이 개념은 경영자가 사업 운영에서 최소한의 손실을 피하고 이익을 창출하기 위해 반드시 이해해야 하는 기본적인 지표입니다. 손익분기점을 이해하는 것만으로도 제품 가격 설정, 비용 관리, 판매 목표 설정 등 다양한 경영 의사결정에 큰 도움이 됩니다. 하지만, 이 책은 여기서 멈추지 않습니다.

이 책이 제공하는 특별한 가치

1. 실전 중심의 설명

'손익분기점 200% 활용하기'는 이론적인 설명에 그치지 않고, 실제 비즈니스 사례와 함께 손익분기점 이론을 어떻게 적용할 수 있는지 자세히 안내합니다. 각 장에서는 다양한 업종의 사례를 통해 독자들이 실전에서 바로 적용할 수 있도록 돕습니다.

2. 전략적 의사결정 도구로서의 손익분기점

단순히 손익분기점을 계산하는 법을 배우는 것을 넘어서, 이를 통해 전략적 의사결정을 내리는 방법을 배웁니다. 예를 들어, 새로운 제품 출시를 고려할 때, 손익분기점을 통해 어떤 제품이 더 높은 수익성을 가질지 판단할 수 있습니다. 이 책은 이러한 전략적 의사결정을 내리는 데 필요한 모든 도구와 지식을 제공합니다.

3. 재무 관리 능력 향상

손익분기점을 활용하면 비용 구조를 이해하고 효율적으로 관리할 수 있습니다. 이 책은 고정비용과 변동비용을 어떻게 분류하고 관리할지, 그리고 이를 통해 재무 구조를 최적화하는 방법을 상세히 설명합니다. 이러한 능력은 기업의 재무 건전성을 높이고, 장기적인 성장을 가능하게 합니다.

4. 예산 수립과 성과 평가

효과적인 예산 수립과 성과 평가는 성공적인 비즈니스 운영에 필수적입니다. 손익분기점을 활용하면 정확한 판매 예산을 수립하고, 이를 기준으로 성과를 평가할 수 있습니다. 이 책은 예산 수립 과정에서 손익분기점을 어떻게 활용할지 구체적으로 안내합니다.

5. 리스크 관리와 대응 전략

비즈니스 환경은 항상 변화하며, 예기치 않은 상황이 발생할 수 있습니다. 손익분기점을 통해 이러한 리스크를 사전에 인식하고, 적절히 대응하는 전략을 세울 수 있습니다. 이 책은 리스크 관리와 관련된 다양한 시나리오와 대응 방안을 제시합니다.

누구를 위한 책인가요?

'손익분기점 200% 활용하기'는 중소기업 경영자, 스타트업 창업자, 재무 관리자, 그리고 비즈니스에 관심이 있는 모든 분들을 위한 책입니다. 회계나 재무에 대한 사전 지식이 없어도 쉽게 이해할 수 있도록 구성되어 있으며, 실무에 바로 적용할 수 있는 실질적인 내용으로 가득 차 있습니다.

독자들에게 드리는 메시지

 비즈니스 세계에서 성공하기 위해서는 정확한 재무 관리와 전략적 의사결정이 필수적입니다. '손익분기점 200% 활용하기'는 이러한 목표를 달성하는 데 필요한 모든 지식과 도구를 제공합니다. 이 책을 통해 손익분기점을 제대로 이해하고 활용함으로써, 여러분의 비즈니스가 더 높은 수익성과 안정성을 갖출 수 있도록 도와드리겠습니다.

———————————

 이 책은 단순히 읽고 끝나는 책이 아닙니다. 실제로 여러분의 비즈니스에 적용하고, 그 결과를 통해 성과를 확인할 수 있는 실전 가이드입니다.

 여러분의 성공적인 비즈니스를 위한 여정에 '손익분기점 200% 활용하기'가 든든한 동반자가 되기를 기대합니다. 함께 더 나은 미래를 만들어 나가길 바랍니다.

 감사합니다.

목 차

제3장 손익분기점을 활용한 기업의 경영체질 진단

제4장 손익분기점을 활용한 의사결정

제5장 손익분기점과 이익계획 세우기

제1장 CVP 분석의 이해
(Cost-Volume-Profit analysis)

Chapter 01. 원가-조업도-이익분석(cost-volume-profit analysis)

1. CVP분석의 의의

 CVP분석은 조업도와 원가 변화가 이익에 어떠한 영향을 미치는가를 분석하는 기법을 말한다.

 CVP분석은 다음과 같은 물음에 대한 답을 구하는 데 활용된다.

- 수익과 비용을 일치시키는 판매량과 매출액은 얼마인가?
- 얼마를 판매하여야 목표이익을 달성할 수 있을까?
- 판매가격을 변화시키면 원가와 수익은 어떻게 변할 것인가?
- 일정한 판매량 또는 목표 판매량을 달성하면 이익은 얼마인가?
- 판매 중단 제품의 결정 등 단기적인 의사결정 문제 해결에 사용

2. CVP분석의 기본가정

① 수익과 원가의 행태는 관련 범위 내에서 선형이다.
② 모든 원가는 변동비와 고정비로 분리할 수 있다.
③ 제품의 종류는 하나이다. 다만, 복수제품을 생산할 경우, 제품배합은 일정하다.
④ 생산량과 판매량은 같다.
⑤ 단기적 분석이다.

⑥ 모든 변수가 확실하다.

⑦ 발생주의에 의한 분석이다. 현금흐름을 고려하지 않는다.

3. CVP분석의 기본개념

(1) 공헌이익(contribution margin: CM)

매출액에서 변동비를 차감한 금액을 공헌이익이라고 한다. 이는 고정비를 회수하고 영업이익을 창출하는 데 공헌하는 금액을 말한다.

> 공헌이익 = 매출액 - 변동비
> $\qquad$ = [단위당 판매가격(p) X 판매수량(Q)] - [단위당
> $\qquad\qquad$ 변동비(v) X 판매수량(Q)]
> $\qquad$ = (단위당 판매가격 - 단위당 변동비) X 판매수량
> $\qquad$ = 고정비 + 영업이익

(2) 단위당 공헌이익

단위당 공헌이익은 단위당 판매가격에서 단위당 변동비를 차감한 잔액으로 이는 제품 한 단위를 추가로 판매할 경우, 이익의 증가분을 의미한다.

> 단위당 공헌이익 = 단위당 판매가격 - 단위당 변동비

(3) 공헌이익률(contribution margin ratio: CMR)

고정비를 회수하고 이익에 공헌하는 정도, 즉 공헌이익을 매출액에 대한 비율로 계산한 것이다. 공헌이익률은 공헌이익을 매출로 나누어 계산할 수도 있고 단위당 공헌이익을 단위당 판매가격으로 나누어 계산할 수 있다.

$$공헌이익률 \ = \ \frac{공헌이익}{매출액} \ = \ \frac{단위당\ 공헌이익}{단위당\ 판매가격} \ = \ 1 - 변동비율$$

(4) 변동비율

매출액 중에서 총변동비가 차지하고 있는 비율을 의미하며 다음과 같이 계산한다.

$$변동비율 \ = \ \frac{변동비}{매출액} \ = \ \frac{단위당\ 변동비}{단위당\ 판매가격} \ ` \ = \ 1-공헌이익률$$

공헌이익률과 변동비율의 관계는 다음과 같다.

$$공헌이익률 + 변동비율 = 1$$

4. 원가-조업도-이익 도표

CVP도표는 조업도의 변동에 따른 총수익과 총비용 및 이익의 변동을 그림으로 나타낸 것이다.

[그림1-1] 원가-조업도-이익 도표

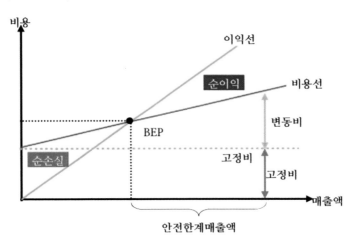

Chapter 02. 변동비와 고정비

사무용 가구를 생산·판매하는 주식회사 PDS의 20X1년 손익현황은 다음과 같다.

[도표2-1] ㈜PDS의 20X1년 손익계산서

(단위:백만원)

과 목		금 액	%	비 고
매 출 액		2,000	100%	
매 출 원 가 (1)		1,000	50%	■생산량 = 판매량
	재 료 비	500		
	노 무 비	200		
	외 주 가 공 비	200		
	기 타 제 조 경 비	100		
매 출 총 이 익		1,000	50%	
판 매 비 와 관 리 비		500	25%	
	인 건 비	100		
	광 고 선 전 비	50		
	판 매 수 수 료	150		■전액 영업사원 수수료
	기 타 판 관 비	200		
영 업 이 익		500	25%	

(1) 기초 및 기말 제품재고액 "0" : 생산량과 판매량은 같다(CVP기본가정)

1. 변동비와 고정비 구분하기[1]

(1) 변동비

매출액이나 생산량 등 조업도의 변화에 따라 변동하는 비용을 변동비라고 하며, [도표2-1]에서는 재료비, 노무비, 외주가공비, 판매수수료가 이에 해당한다.

원가함수 : y=b·x
  y : 총비용
  b : 단위당 비용
  x : 조업도

[그림2-1] 변동비용의 총비용과 단위당 비용

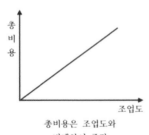

총비용은 조업도와
비례하여 증감

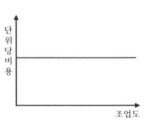

단위당 비용은 항상 일정

[1] 원가행태에 따른 분류로서 본서에서는 학습의 편의상 변동비(순수변동비)와 고정비(순수고정비)에 대한 내용만 다루고 준변동원가(혼합원가), 준고정원가(계단원가)는 제외하였다.

(2) 고정비

매출액이나 생산량 등 조업도의 변화와 관계없이 일정하게 발생하는
비용을 고정비라 하며, [도표2-1]에서는 기타 제조경비, 인건비, 광고
선전비, 기타 판관비가 이에 해당한다.

    원가함수 : y=a
        y : 총비용
        b : 단위당 비용
        x : 조업도

[그림2-2] 고정비용의 총비용과 단위당 비용

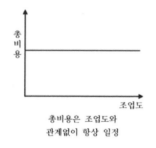

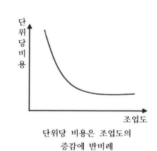

(3) 변동비와 고정비의 구분

  [도표2-1]을 변동비와 고정비로 구분하여 표시하면 다음과 같다.

[도표2-2] 변동비와 고정비의 구분

(단위:백만원)

과 목	금 액	%	비 고
매 출 액	2,000	100%	
매 출 원 가	1,000	50%	
재 료 비	500		매출액 또는 조업도 증감 → 증감(변동비)
노 무 비	200		매출액 또는 조업도 증감 → 증감(변동비)
외 주 가 공 비	200		매출액 또는 조업도 증감 → 증감(변동비)
기 타 제 조 경 비	100		매출액 또는 조업도 증감 → 고정(고정비)
매 출 총 이 익	1,000	50%	
판 매 비 와 관 리 비	500	25%	
인 건 비	100		매출액 또는 조업도 증감 → 고정(고정비)
광 고 선 전 비	50		매출액 또는 조업도 증감 → 고정(고정비)
판 매 수 수 료	150		매출액 또는 조업도 증감 → 변동(변동비)
기 타 판 관 비	200		매출액 또는 조업도 증감 → 고정(고정비)
영 업 이 익	500	25%	

① 모든 비용은 변동비의 성질과 고정비의 성질을 모두 포함하고 있다. 다만, 단기적 의사결정을 위한 계산의 정확성과 학습효과를 높이기 위하여 비용의 구분을 변동비와 고정비로만 단순하게 구분하였다. (Chapter 01의 2. CVP분석의 기본가정 참조)

② 따라서, 실무에서의 비용 구분은 각 계정과목의 실제 사용되는 성격에 따라 구분하여 사용해야 한다.

③ 매출액 – 매출원가 – 판매비와 관리비 = 영업이익
   매출액 – 변동비 – 고정비 = 영업이익
   　(=공헌이익)
   공헌이익 – 고정비 = 영업이익

Chapter 03. 일반손익계산서와 변동손익계산서

주식회사 PDS의 변동손익계산서는 다음과 같다.

[도표3-1] ㈜PDS의 변동손익계산서

(단위:백만원)

과 목	금 액	%	비 고
매 출 액	2,000	100%	
변 동 비	1,050	53%	■변동비률＝변동비÷매출액
재 료 비	500		
노 무 비	200		
외 주 가 공 비	200		
판 매 수 수 료	150		
공 헌 이 익	950	48%	■공헌이이률＝공헌이익÷매출액
고 정 비	450		
기 타 제 조 경 비	100		
인 건 비	100		
광 고 선 전 비	50		
기 타 판 관 비	200		
영 업 이 익	500	25%	

1. 변동손익계산서의 정의 및 구성요소

Chapter 02의 비용 구분 방법에 따라서 [도표2-1]의 손익계산서를 다시 만들면 [도표3-1]과 같다. 변동손익계산서는 매출액에서 변동비를 차감하여 공헌이익을 구하고 공헌이익에서 고정비를 차감하여 영업이익을 계산한다.

구 분	산출 근거
매출(Sales): S	- $S = P \times Q$ - P: 판매단가, Q: 판매량
변동비용(Variable Cost): VC	- $VC = VCUNIT \times Q$ - VCUNIT: 단위당 변동비, Q: 판매량
공헌이익(Contribution Margin): CM	- $CM = S - VC$
고정비용(Fixed Cost): FC	
영업이익(Earnings Before Interest and Tax): EBIT	- $EBIT = CM - FC$

2. 손익계산서와 변동손익계산서의 차이점

손익계산서와 변동손익계산서의 주요 차이점은 다음과 같다.

구 분	손익계산서	변동손익계산서
비용분류	수익비용대응의 원칙에 따라 구분	변동비와 고정비로 구분
목 적	기업의 전체적인 수익성을 평가	비용 구조와 이익 변화의 관계 분석
활 용	기업의 전반적인 재무 상태와 수익성 분석	손익분기점, 안전한계 분석 등 의사결정 지원
대 상	모든 기업에 일반적으로 적용	비용의 변동성을 고려해야 하는 기업에 유용

3. 변동손익계산서를 활용한 이익관리

변동손익계산서는 기업의 재무 상태를 보다 더 명확하게 이해하고, 이익을 극대화하기 위한 전략적 결정을 내리는 데 중요한 도구이다. 또한 이익관리에 있어서 비용과 수익의 관리를 넘어, 시장 변화에 민첩하게 대응하고 장기적인 성장 전략을 수립하는 데 중요한 역할을 한다. 변동손익계산서를 활용한 이익관리의 구체적 사례는 다음과 같다.

(1) 매출액 변화에 따른 간편한 이익 계산

(주)PDS의 매출액이 10% 떨어져서 1,800백만 원이 된 경우에도 공헌이익률은 48%로 변하지 않기 때문에 매출액에 48%를 곱하면 공헌이익은 864백만 원이 된다. 반대로 매출액이 10% 증가해서 2,200백만 원이 되면 공헌이익은 1,056백만 원이 된다. 한편 고정비는 450백만 원으로 정해져 있으므로 영업이익은 각각 414백만 원, 606백만 원으로 즉시 계산할 수 있다.

[도표3-2] 매출액 변화시 이익계산

(단위:백만 원)

매출액 증감	공헌이익률	공헌이익	고정비	영업이익
2,200	48%	1,056	450	606
10% 증가(▲)	2,000X(1+10%)X48%-450=606			
2,000	48%	950	450	500
10% 감소(▼)	2,000X(1-10%)X48%-450=414			
1,800	48%	864	450	414

(2) 손익분기점 분석

　총수익이 총비용과 같아지는 매출액 또는 판매량의 지점이 손익분기점이다. 변동손익계산서를 통해 기업은 손익분기점을 계산하고, 이를 기반으로 가격 결정, 비용 관리, 판매 목표 설정 등의 전략을 수립할 수 있다.

(3) 비용 구조 최적화

　변동비와 고정비의 비율을 분석하여, 비용 구조를 최적화한다. 예를 들어, 고정비 비율이 높은 기업은 매출 증가 시 더 큰 이익을 얻을 수 있으며, 변동비를 줄이는 방향으로 비용 관리 전략을 조정할 수 있다.

(4) 가격 전략 수립

　공헌이익 분석을 통해 제품별 가격 전략을 조정할 수 있다. 높은 공헌이익을 가진 제품의 판매를 촉진하거나, 낮은 공헌이익을 개선하기 위한 가격 조정이 가능하다.

Chapter 04. 손익분기점 매출액

공헌이익률과 고정비를 알면 매출액이 어떻게 변하든 영업이익을 바로 계산할 수 있다는 것을 앞 Chapter에서 살펴보았다. 이번 Chapter에서는 공헌이익이 고정비를 회수하여 영업이익이 『0』이 되는 지점(point), 손익분기점에 대하여 설명하고자 한다.

1. 손익분기점 매출액(영업이익이 『0』이 되는 매출액)

고정비는 일정한 것이므로 영업이익이 『0』이 되려면 공헌이익이 고정비와 같은 금액이 되면 된다. [도표3-1]에서 (주)PDS의 고정비는 450백만 원이므로 공헌이익이 450백만 원이 되는 매출액이 손익분기점 매출액이다.

[도표4-1] 손익분기점 매출액

(단위 : 백만 원)

매출액	×	공헌이익률	=	공헌이익
X		48%		450

공헌이익	-	고정비	=	영업이익
450		450		0

영업이익이 『0』이 되는 매출액(X)의 값은 [도표4-1]의 식을 이용하여 아래와 같이 계산할 수 있다.

(X) × 48% = 450백만 원

매출액(X) = 450백만 원 ÷ 48%   ∴ 매출액(X): 937.5백만 원

영업이익이 『0』이 되는 매출액이 937.5백만 원이 맞는지 검증하면 다음과 같다.

[도표4-2] 손익분기점 매출액 검증

(단위 : 백만 원)

매출액	×	공헌이익률	=	공헌이익
937.5		48%		450

공헌이익	-	고정비	=	영업이익
450		450		0

2. 손익분기점 매출액

위 검증 과정을 정리하면 손익분기점 매출액을 구하는 공식은 아래와 같다.

$$손익분기점\ 매출액(BepS) = \frac{고정비}{공헌이익률}$$

Chapter 05. 재고의 증감이 있을 때 손익분기점 매출액

1. 재고의 증감이 있을 때 영업이익 계산하기

[도표5-1]의 자료로 손익분기점 매출액을 구해보자. 변동비는 1,050 백만 원이기 때문에 공헌이익은 950백만 원이고 고정비는 기타 제조경비 및 기타 판매비와 관리비를 합한 450백만 원이다. 따라서 손익분기점 매출액은 고정비 450백만 원을 47.5%로 나눈 947.4백만 원으로 계산된다.

손익분기점 매출액 947.4백만 원은 맞게 계산된 것일까?

현재 매출액이 2,000백만 원일 때의 이익을 계산하여 검증해 보면 맞게 계산되었는지 알 수 있다. 영업이익을 계산할 수 있는 식(『매출액 × 공헌이익률 −고정비 ＝ 영업이익』)에 수치를 대입하여 계산한 결과값은 500백만 원으로 [도표5-1]의 영업이익과 다르게 계산된다. 그 이유는 기초 재고금액과 기말의 재고금액이 다르기 때문이다.

즉 결과값이 다르게 계산되는 것은 기초제품재고액 300백만 원과 기말제품재고액에 500백만 원의 차액 200백만 원에 그 원인이 있는 것이다.

[도표5-1] 재고의 증감이 있는 손익계산서

(단위:백만원)

과 목	금 액	비용분해 변동비	비용분해 고정비
매　　출　　액	2,000		
매　출　원　가	800		
기 초 제 품 재 고 액	300		
제　조　원　가	1,000	900	100
재　　료　　비	500	500	
노　　무　　비	200	200	
외 주 가 공 비	200	200	
기 타 제 조 경 비	100		100
기 말 제 품 재 고 액	500		
매　출　총　이　익	1,200		
판 매 비 와 관 리 비	500	150	350
판　매　수　수　료	150	150	
기타판매비와관리비	350		350
영　업　이　익	700		
		1,050	450

$$\text{공헌이익률} \quad = \quad \frac{2,000-1,050}{2,000} \quad = \quad 47.5\%$$

$$\text{BepS} \quad = \quad \frac{450}{47.5\%} \quad = \quad 947.4(?)$$

$$\text{영업이익} \quad = \quad 2,000 \times 47.5\% - 450 \quad = \quad 500$$

2. 재고의 증감이 있을 때 손익분기점 매출액 및 영업이익 계산 방법

(1) 변동비와 고정비 발생비율이 동일하다는 가정에서 계산하는 방법

기초와 기말재고액에 포함된 변동비와 고정비의 비율은 제품의 생산에 소요된 당기제품제조원가의 발생 비율과 같다고 가정하여, 기초제품재고금액, 당기제품제조원가, 기말제품재고금액의 변동비와 고정비를 구분하여 영업이익과 BepS를 계산하는 방법이다.

[도표5-2] 변동비와 고정비 발생 비율 동일하다는 가정에서 계산하는 방법

(단위:백만 원)

구분		금액	변동비 90.0%	고정비 10.0%
총계		1,300	870	430
제조원가		800	720	80
	기초	300	270	30
	당기	1,000	900	100
	기말	- 500	- 450	- 50
판관비		500	150	350
변동비률		43.5%		
공헌이익률		56.5%		

① 영업이익(EBIT)

구분	금액
매출액	2,000
공헌이익률	56.5%
공헌이익	1,130
고정비	430
영업이익	700

② 손익분기점 매출액(BepS)

구분	금액
고정비	430
공헌이익률	56.5%
BepS	761

(2) 매출원가 안분율로 계산하는 방법

또 다른 방법은 당기제품제조원가에 대한 매출원가의 비율 즉 매출원가 안분율로 영업이익과 BepS를 계산하는 방법이다.

(단위: 백만 원)

$$매출원가\ 안분율\ =\ \frac{800}{1,000}\ =\ 80\%$$

31

[도표5-3] 매출원가 안분율로 계산하는 방법

① 영업이익(EBIT)

과목	금액	비고
매출액	2,000	
변동비	870	
제조변동비	720	=900 x 80%
판관변동비	150	
공헌이익	1,130	56.5%
고정비	430	
제조고정비	80	=100 x 80%
판관고정비	350	
영업이익	700	

② 손익분기점 매출액(BepS)

구분	금액
고정비	430
공헌이익률	56.5%
BepS	761

(3) 전부원가계산 하에서의 CVP분석은 Chapter 11에서 상세하게 설명하였다.

제2장 손익분기점(break-even point)의 계산

Chapter 06. 손익분기점 공식

손익분기점이란 총수익과 총비용이 일치하여 손실이나 이익이 발생하지 않는 매출액 또는 판매량을 의미한다는 것은 이미 설명하였다. 본 Chapter에서는 손익분기점을 분석할 수 있는 등식법과 공헌이익접근법에 대하여 구체적으로 살펴보고자 한다.

1. 등식법

등식법이란 '총수익과 총비용이 같은 점'이라는 사실에 초점을 맞추어 손익분기점을 계산하는 방법을 말한다.

매출액 - 변동비 - 고정비 = 0

(*)매출액 = 판매수량 × 판매단가
(*)변동비 = 판매수량 × 단위당 변동비

위 등식을 만족시켜 주는 매출액 또는 판매수량이 손익분기점이다.

2. 공헌이익접근법

공헌이익접근법은 등식법을 변형한 것으로써, 공헌이익 개념을 이용하여 손익분기점을 계산하는 방법이다.

(1) 손익분기점 매출액(BepS[2])

	공식	약식표기
①	매출액-변동비-고정비 = 0	S-VC-FC=0
②	매출액-(매출액×변동비율)-고정비=0	S-(S·VCR)-FC=0
③	매출액·(1-변동비율)=고정비	S·(1-VCR)=FC
④	손익분기점 매출액 $= \dfrac{\text{고정비}}{(1-\text{변동비율})}$	$BepS = \dfrac{FC}{(1-VCR)}$
⑤	손익분기점 매출액 $= \dfrac{\text{고정비}}{\text{공헌이익률}}$	$BepS = \dfrac{FC}{CMR}$

위 식에서 공헌이익률은 공헌이익을 매출액으로 나눈 비율을 의미하고, 변동비율은 변동비를 매출액으로 나눈 비율을 의미한다. 그리고 공헌이익률과 변동비율의 합은 항상 1이다.

(2) 손익분기점 매출수량(BepQ)

	공식	약식표기
①	매출액-변동비-고정비 = 0	S-VC-FC=0
②	(매출수량 × 판매단가) - (매출수량 × 단위당 변동비) -고정비 = 0	(Q·P)-(Q·@VC)-FC=0
③	매출수량·(판매단가 - 단위당 변동비) = 고정비	Q·(P-@VC)=FC
④	손익분기점 매출수량 $= \dfrac{\text{고정비}}{(\text{판매단가}-\text{단위당 변동비})}$	$BepQ = \dfrac{FC}{(P-@VC)}$
⑤	손익분기점 매출수량 $= \dfrac{\text{고정비}}{\text{단위당 공헌이익}}$	$BepQ = \dfrac{FC}{@CM}$

---

[2] BepS(손익분기점 매출액), BepQ(손익분기점 판매량), S(매출액), P(판매단가), Q(판매량), VC(변동비용), VCR(변동비율), @VC(단위당 변동비용), FC(고정비용), CM(공헌이익), @CM(단위당 공헌이익), CMR(공헌이익률), EBIT(영업이익)

위 식에서 단위당 공헌이익은 단위당 판매가격에서 단위당 변동비를 차감한 금액으로, 제품 한 단위가 생산 판매되는 데 소요된 단위당 변동비를 초과하여 고정비를 회수하고 이익을 창출하는 데 공헌하는 정도를 의미한다.

[예제 5-1]

(주)일산은 가방을 제조하여 20X1년에 ₩1,000에 500개를 판매하였다. 가방 1개를 제조하는데 직접재료비 ₩200, 직접노무비 ₩180, 변동제조원가 ₩170이 소요되며, 연간 고정제조간접비는 ₩80,000이 발생하였다. 제품을 판매하는 과정에서 단위당 변동판매관리비는 ₩100, 연간 고정판매관리비는 ₩50,000이 발생하였다. 20X1년 손익분기점 매출액과 판매량은?

(1) 등식법

① BepS =	S−S·65%−130,000=0	• VCR=₩650÷₩1,000=65%
		@VC=₩200+₩180+₩170+₩100=₩650
	S·(1−65%)=130,000	• VCR=₩325,000÷₩500,000=65%
		VC=500개×₩650=₩325,000
∴ BepS = 371,428원		• 원미만 절사

② BepQ =	Q·1,000−Q·650−	• @VC=₩200+₩180+₩170+₩100=₩650
	130,000 =0	
	Q·350 = 130,000	
∴ BepQ = 371		• 원미만 절사

(2) 공헌이익접근법

① BepS =	$130,000 \div 35\% = 371,428$원	• CMR=₩350÷₩1,000=35% @CM=₩1,000-₩650=₩350 • CMR=₩175,000÷₩500,000=35% CM=500,000-325,000=175,000
∴ BepS = 371,428원		• 원미만 절사

② BepQ =	$130,000 \div 350 = 371$개	• @CM=₩1,000-₩650=₩350 @VC=₩200+₩180+₩170+ ₩100=₩650
∴ BepQ = 371개		• 원미만 절사

Chapter 07. 변동비의 증감과 손익분기점

변동비가 변할 때 손익분기점은 어떻게 달라질까? 변동비의 증감은 변동비의 증감률이 변하는 경우, 변동비의 금액이 변하는 경우, 매입원가 등 변동비의 단가가 변하는 경우로 구분할 수 있다.

1. 변동비의 증감률이 변하는 경우

원재료와 생산인건비의 상승으로 (주)PDS의 변동비율이 9% 상승한 경우, 손익분기점은 어떻게 변할까? ([도표2-1] ㈜PDS의 20X1년 손익계산서 참조)

변동비율과 공헌이익률의 합은 항상 1이므로, 공헌이익률은 1에서 변동비율을 차감한 것과 같다. 따라서 새로운 변동비율은 57.2%(변동비율×(1±변동비 증감률)이고 수정된 공헌이익률은 42.8%로 떨어져 BepS는 1,052백만 원으로 증가한다.

(단위: 백만 원)

$BepS = \dfrac{450}{47.5\%} = 947$	
$BepS = \dfrac{450}{42.8\%} = 1,052$	• CMR=1-VCR 47.5%=1-52.5% • CMR=1-[VCR×(1±변동비 증감률)] 42.775%=1-[52.5%×(1+9%)]

2. 변동비의 금액이 변하는 경우

원재료와 생산인건비의 상승으로 (주)PDS의 재료비와 노무비가 합하여 94.5백만 원 증가한 경우, 손익분기점은 어떻게 변할까? ([도표2-1] (주)PDS의 20X1년 손익계산서 참조)

공헌이익률은 공헌이익을 매출액으로 나누어 계산하고, 공헌이익은 매출액서 변동비를 가감하여 계산한다. 따라서 변동비가 일정 금액만큼 증가한 경우에는 그 증감액을 변동비에 가감하는 것으로 손익분기점을 구할 수 있다.

당초 변동비에 증가한 변동비를 가산하면 변동비는 1,144.5백만 원(변동비±변동비 증감액)이고 수정된 공헌이익은 855.5백만 원으로 떨어져 BepS는 1,052백만 원으로 증가하게 된다.

(단위: 백만 원)

$BepS = \dfrac{450}{47.5\%} = 947$	• CMR = (S−VC) ÷ S (2,000−1,050) ÷ 2,000 = 47.5%	
$BepS = \dfrac{450}{42.8\%} = 1,052$	• CMR = [S−(VC±변동비 증감액)]÷S 42.775% = [2,000−(1,050+94.5)]÷2,000	

3. 변동비의 단가가 변하는 경우

원재료가격의 상승으로 (주)PDS는 판매단가 10,000원의 책상을 제작하기 위한 목재를 kg당 2,500원에 구입하던 것을 472.5원 증가한 kg당 2,972.5원에 구매하게 된다면 손익분기점은 어떻게 변할까? 다만,

재료비의 단가만 증가하고 다른 변동비의 증감은 없다고 가정한다.

재료비 구매단가 472.5원/kg 상승은 판매단가 10,000원에 대한 4.725%이므로 공헌이익률은 42.8%(=[1-(52.5%+4.725%)])이고 BepS는 947백만 원에서 1,052백만 원으로 증가하게 된다.

(단위: 백만 원)

$BepS = \dfrac{450}{47.5\%} = 947$	• CMR=@CM÷P 47.5%=(10,000원-5,520원)÷10,000원
$BepS = \dfrac{450}{42.8\%} = 1,052$	• CMR=[P-(@VC±변동비 단가 증감액)]÷P 42.775%=[10,000원-(5,250원+472.5원)] ÷10,000원 =4,277.5원÷10,000원

(*)공헌이익률은 위 '1. 변동비의 증감률이 변하는 경우'에서 사용한 계산 방법을 이용하여 계산할 수도 있음
• CMR=1-(VCR±@변동비 증감률)
• 42.775%=[1-(52.5%+4.725%)]

Chapter 08. 고정비의 증감과 손익분기점

고정비를 공헌이익률로 나누면 손익분기점 매출액이다. 분자인 고정비가 증가한다면 손익분기점은 어떻게 달라질 것인가? 증가한 고정비를 상쇄시키는 데 필요한 매출액은 얼마나 증가시켜야 하는 것일까? 고정비의 증감은 고정비의 증감률이 변하는 경우와 고정비의 금액이 변하는 경우로 구분하여 설명할 수 있다.

1. 고정비의 증감률이 변하는 경우

고정비의 증감률이 변하는 경우에는 손익분기점 공식의 분자인 고정비에 '1±고정비 증감률'을 곱해서 수정 후의 고정비를 산출하고, 이것을 공헌이익률로 나누어 새로운 손익분기점 매출액을 구한다. (주)PDS의 고정비가 14% 증가한 경우에는 분자의 고정비는 513백만 원이 되어 BepS는 1,080백만 원으로 증가한다.

(단위: 백만 원)

$BepS = \dfrac{450}{47.5\%} = 947$		
$BepS = \dfrac{513}{47.5\%} = 1,080$	• 고정비=고정비×(1±고정비 증감률) 513=450×(1+14%)	

2. 고정비의 금액이 변하는 경우

고정비의 증감을 금액으로 알 수 있는 경우에는 그 금액만큼 고정비를 증감시키면 된다. (주)PDS의 고정비가 63백만 원 증가한다고 하면 분자의 고정비가 513백만 원이 되고, 이것을 공헌이익률로 나누면 새로운 BepS는 1,080백만 원으로 계산된다.

(단위: 백만 원)

$\text{BepS} = \dfrac{450}{47.5\%} = 947$	
$\text{BepS} = \dfrac{513}{47.5\%} = 1,080$	• 고정비=고정비±고정비 증감액 513=450+63

3. 증가한 고정비를 상쇄시키기 위해, 필요한 매출액

증가한 고정비를 상쇄하기 위해, 필요한 매출액은 증가고정비를 공헌이익률로 나누어 구할 수 있다. 앞의 예에서 고정비의 증가액은 63백만 원이었으므로, 이 63백만 원을 공헌이익률 47.5%로 나누면 증가한 고정비를 상쇄시키는 데 필요한 매출액 132.6백만 원을 산출할 수 있다.

증가한 고정비를 상쇄하는 데 필요한 매출액은 다음과 같이 계산한다.

증가한 고정비를 상쇄하는 데 필요한 매출액	$= \dfrac{\text{증가 고정비}}{\text{공헌이익률}}$

Chapter 09. 매출액의 증감과 손익분기점

매출액이 변하면 손익분기점은 어떻게 달라질까? 매출액은 판매단가 또는 판매수량에 따라 증가하거나 감소한다.

1. 판매단가의 인상 또는 인하

(주)PDS는 경쟁업체의 가격 인하 정책에 대응하기 위하여 사무용가구의 판매단가를 10% 인하하기로 이사회에서 결정하였다. 손익분기점은 어떻게 달라질까?

판매단가가 인하되면 매출총액은 감소하지만, 변동비 금액은 변하지 않아 공헌이익률은 감소하게 된다. (주)PDS의 매출액은 10% 감소한 1,800백만 원이 되며, 변동비율은 58.3%(1,050백만 원÷1,800백만 원)로 증가한다. 따라서 공헌이익률은 41.7%(1-58.3%)로 감소하고 BepS는 1,080백만 원으로 증가한다.

(단위: 백만 원)

$BepS = \dfrac{450}{47.5\%} = 947$	• CMR=(P-@VC)÷P 47.5%=(10,000원-5,250원)÷10,000원	
$BepS = \dfrac{513}{41.7\%^{(*)}} = 1,080$	• CMR=(S-VC)÷S 41.666%=(1,800-1,050)÷1,800	

(*)공헌이익률 계산
• CMR=(1-VCR) 또는 (P-@VC)÷P

- 41.7%=(1-58.3%)
  =(9,000원-5,250원)÷9,000원

2. 판매수량의 증가 또는 감소

판매수량이 증가하거나 감소하게 되면 손익분기점은 어떻게 달라질까? 판매수량의 증감에 의한 매출액 또는 변동비의 증감률은 동일하므로 공헌이익(율)에는 아무런 영향을 주지 않는다. 따라서 손익분기점도 변하지 않는다.

3. 판매단가, 변동비, 고정비의 증가 또는 감소

판매단가, 변동비, 고정비가 모두 변한 경우에는 손익분기점은 어떻게 달라질까? 앞에서 살펴본 사례를 모두 합한 것과 같다.

예를 들어, (주)PDS는 원재료 가격의 상승 등 대내외적 경영환경의 변화로 인하여 사무용 가구의 생산 및 판매와 관련하여 변동비는 2%, 고정비는 17.6% 상승할 것으로 예상되어 판매단가를 5% 인상한 10,500원에 판매하기로 결정하였다면 BepS는 947백만 원에서 1,080백만 원으로 증가하게 된다.

$BepS = \dfrac{450}{47.5\%} = 947$	
$BepS = \dfrac{513}{47.5\%} = 1,080$	$\bullet\, BepS = \cfrac{고정비 \times (1\pm고정비\ 증감률)}{1 - \cfrac{변동비 \times (1\pm변동비\ 증감률)}{판매단가 \times (1\pm판매단가증감률)}}$ $= \cfrac{450 \times (1+17.6\%)}{1 - \cfrac{5,250원 \times (1+2\%)}{10,000원 \times (1+5\%)}}$

Chapter 10. 복수의 제품과 손익분기점

손익분기점분석에서는 하나의 제품만을 생산·판매한다고 가정하고 있다. 그러나 하나의 제품만을 생산하는 기업은 거의 없으며, 여러 제품을 생산·판매하는 경우가 대부분이다.

이렇게 다품종을 생산·판매하는 경우에는 가중평균공헌이익률법과 개별법으로 손익분기점을 분석할 수 있다.

1. 가중평균공헌이익법

가중평균공헌이익법에서는 각 제품의 매출배합 또는 매출액 구성비[3]는 시간의 경과와 관계없이 일정하며, 변동비는 각 제품에 정확하게 귀속시킬 수 있다는 가정에서 다음과 같은 단계를 거쳐 손익분기점을 산출한다.

1단계: 각 제품의 공헌이익 또는 공헌이익률을 구한다.
2단계: 제품집합[4]의 가중평균공헌이익과 가중평균공헌이익률을 다음과 같이 산출한다.

---

[3] 매출배합(sales mix)이란 총매출을 구성하는 여러 제품의 상대적 수량 비율을 의미하고, 매출액 구성비는 총매출액 중에서 각 제품의 매출액이 차지하는 비율을 의미한다.

[4] 제품집합이란 특정한 매출배합 비율에 따라 여러 제품이 포함된 하나의 묶음 단위를 의미한다.

- 단위당 가중평균공헌이익 = Σ(각 제품의 단위당 공헌이익 × 각 제품의 매출수량 비율)
- 가중평균공헌이익률 = Σ(각 제품의 공헌이익률 × 각 제품의 매출액 비율)

3단계: 기업 전체의 고정비를 2단계에서 구한 단위당 가중평균공헌이익과 가중평균공헌이익률로 나누어 기업 전체 BepQ와 BepS를 다음과 같이 산출한다.

- BepQ $= \dfrac{\text{고정비}}{\text{단위당 가중평균공헌이익}}$

- BepS $= \dfrac{\text{고정비}}{\text{단위당 가중평균공헌이익률}}$

4단계: 3단계에서 산출한 기업 전체의 BepQ와 BepS를 각 제품의 매출배합과 매출액 구성비에 따라 제품별 BepQ와 BepS를 산출한다.

2. 개별법[5]

　개별법은 공헌이익률이 높은 순서로 제품을 판매한다는 가정에서 다음과 같은 과정을 거쳐 손익분기점을 산출한다.

---

[5] 　경영분석(유원북스/감형규·신용재·이의택)

1단계: 매출액 또는 예상 매출액에 각 제품의 공헌이익률을 곱하여 제품별 공헌이익률을 계산한다.
2단계: 각 제품의 공헌이익을 합하여 누적공헌이익을 계산한다.
3단계: 누적공헌이익이 고정비와 일치하는 손익분기점을 산출한다.

[예제 10-1]

(주)PDS가 생산·판매하고 있는 책상, 의자, 캐비닛의 20x1년 영업활동에 관한 자료이다. (주)PDS의 고정비는 1,000백만 원이다.

(단위: 백만 원, 개)

제품명	판매 수량	매출 배합	판매 단가(원)	매출액	구성비	변동 비율	공헌 이익률
책상	200,000	20%	6,000	1,200	60%	30%	70%
의자	600,000	60%	1,000	600	30%	40%	60%
캐비닛	200,000	20%	1,000	200	10%	50%	50%
합계	1,000,000	100%		2,000	100%		

(1) 제품별 손익분기점 매출액

① 가중평균공헌이익률 = (0.7X60%)+(0.6X30%)+(0.5X10%) = 0.65
② 회사 전체의 BepS = 1,000백만 원 ÷ 0.65 = 1,538백만 원
③ 제품별 BepS
BepS책상 = 1,538백만 원×60% = 923백만 원
BepS의자 = 1,538백만 원×30% = 462백만 원
BepS캐비닛 = 1,538백만 원×10% = 153백만 원

(2) 제품별 손익분기점 판매수량

① 가중평균공헌이익 = (4,200X20%)+(600X60%)+(500X20%) = 1,300원
② 회사 전체의 BepQ = 1,000백만 원 ÷ 1,300원 = 769,231개
③ 제품별 BepQ
BepQ책상 = 769,231개×20% = 153,846개
BepQ의자 = 769,231개×60% = 461,538개
BepQ캐비닛 = 769,231개×20% = 153,847개

(3) 개별법

(단위: 백만 원)

제품명	매출액	변동비율	공헌이익률	공헌이익	누적공헌이익	고정비	누적영업이익
책상	1,200	30%	70%	840	840	1,000	-160
의자	600	40%	60%	360	1,200	1,000	200
캐비닛	200	50%	50%	100	1,300	1,000	300
합계	2,000						

책상을 모두 판매하는 경우, 고정비 1,000원 중에서 840백만 원이 회수된다. 의자 판매를 통하여 160백만 원의 고정비를 회수하는데 필요한 매출액을 구함으로써 손익분기점 매출액을 구할 수 있다. 의자의 BepS는 267백만원(=160백만원÷0.6)이다. 책상 1,200백만 원과 의자의 BepS 267백만 원을 합한 1,467백만 원이 (주)PDS의 BepS가 된다.

Chapter 11. 전부원가계산 하에서의 CVP분석

기본적인 CVP분석에서는 생산량과 판매량이 일치하여 재고의 변동이 없다고 가정하였으나 현실적으로는 생산량과 판매량이 일치하지 않아 재고가 변동하는 경우가 일반적이다.

전부원가계산에서의 CVP분석이란 재고수준이 변동하지 않는다는 가정을 완화하여 생산량과 판매량이 일치하지 않음으로써 재고수준이 변동하는 경우의 CVP분석을 의미한다.

1. 전부원가계산 하에서의 손익계산서

㈜대한은 20X1년에 설립되었으며, 조명기구를 생산하고 있다. 최근 3년 동안의 생산량 및 판매량과 원가 자료는 [도표11-1]과 같다.

조명기구를 20X1년 100개, 20X2년 0개, 20X3년 140개를 판매하여 10만 원, △10만 원, △6만 원의 영업손익이 발생하였다. 20X3년에는 140개나 판매하였으나 영업 손실이 6만 원이나 발생하였다. 왜 이와 같은 결과가 발생하게 된 것일까?

전부원가계산 하에서는 생산수량이 달라지면 1개당 제조원가가 달라지는 문제가 발생한다. 생산된 수량 중 판매되지 않고 남아 있는 재고 자산에 포함되어 있는 제조고정비가 비용화되는 시점에서 그 원인을 찾을 수 있다.

[도표11-1] 전부원가계산에서의 손익계산서

(단위: 원)

과목	20X1	20X2	20X3
매출액	1,000,000	-	1,400,000
판매단가	10,000	10,000	10,000
판매수량	100	-	140
매출원가	800,000	-	1,360,000
기초제품	-	-	640,000
당기제품제조원가	800,000	640,000	720,000
변동비	400,000	240,000	320,000
고정비	400,000	400,000	400,000
기말제품	-	640,000	-
매출총이익	200,000	-	40,000
판매비와관리비	100,000	100,000	100,000
영업이익	100,000	- 100,000	- 60,000

(년도별 생산수량 및 재고수량)

(단위:개)

구분	20X1	20X2	20X3
기초제품수량	-	-	60
당기생산수량	100	60	80
계	100	60	140
기말제품수량	-	60	-

20X1년에는 개당 8,000원의 조명기구를 생산하여 모두 판매하였으므로 제조고정비가 전액 매출원가에 포함되어 비용화되었다. 20X2년에는 제조원가가 개당 10,667원의 조명기구를 60개 생산하였으나 판매 수량이 없으므로 제조고정비 40만 원은 기말재고자산에 포함되어 차기로 이월되었다. 20X3년에는 전기에서 이월된 60개와 당기에 생산된 80개가 모두 판매되어 전기 이월된 제조고정비 40만 원과 당기 제조고정비 40만 원을 합한 80만 원이 매출원가에 포함되어 비용화되었다.

20X2년에 부담되지 않았던 제조고정비 40만 원은 20X3년의 이익을 감소시킨다. 즉 20X2년의 손실이 20X3년으로 이월되고 있는 것이다. 문제는 제품재고액에 고정비가 포함되어 있는 것이다. 이렇게 해서는 올바른 의사결정을 할 수 없다. 이러한 문제의 해결을 위해서는 제조원가를 파악할 때 제조변동비만을 파악하고 제조고정비는 기간비용으로 하는 변동원가계산 하에서의 손익계산서를 작성하는 것이 효과적이다.

2. 변동원가계산 하에서의 손익계산서

[도표11-2]의 변동손익계산서는 제조원가를 계산함에 있어 변동비만 계산하고 있다. 재고 수량과 관계없이 제조고정비를 기간비용으로 하고 있기 때문에 20X2년에는 △50만 원, 20X3년에는 34만 원으로 실제에 맞게 표시하고 있다.

외부 보고용의 손익계산서는 전부원가계산하의 손익계산서를 작성하고, 경영 의사결정에는 변동손익계산서를 작성하는 것이 바람직하다. [Chapter 03. 2. 일반손익계산서와 변동손익계산서의 차이점 참조]

[도표11-2] 변동원가계산에서의 손익계산서

(단위: 원)

과목	20X1	20X2	20X3
매출액	**1,000,000**	-	**1,400,000**
판매단가	10,000	10,000	10,000
판매수량	100	-	140
변동비	**400,000**	-	**560,000**
기초제품	-	-	-
당기제품제조원가	400,000	-	560,000
변동비	400,000	-	560,000
기말제품			
공헌이익	**600,000**	-	**840,000**
제조고정비	400,000	400,000	400,000
판매비와관리비	100,000	100,000	100,000
영업이익	**100,000**	- **500,000**	**340,000**

[검증]

변동원가 영업손익	100,000	-	500,000	340,000
기초제품제조고정비(-)	-		-	400,000
기말제품제조고정비(+)	-		400,000	
전부원가 영업손익	100,000	-	100,000	-	60,000

3. 전부원가계산과 변동원가계산 하에서의 손익분기점 수량 비교

[도표11-3] 변동원가계산 및 전부원가계산 하에서의 손익분기점 비교

(단위: 개, 원)

구분		변동원가계산		전부원가계산	
BepQ	20X1년	45		50	=10,000·X-8,000·X-100,000=0
	20X2년	45	= 500,000÷(10,000-4,000)	생산량↑	=10,000·X-10,667·X-100,000=0
	20X3년	45		100	=10,000·X-9,000·X-100,000=0

전부원가계산 하에서는 생산량과 판매량의 변화에 따라 비용화되는 제조고정비가 달라진다.

변동원가계산에서는 영업이익이 0이 되는 손익분기점 판매량은 생산량과 관계없이 45개로 하나지만, 전부원가계산에서는 생산량에 따라 여러 개의 손익분기점 판매량이 산출된다.

결국 생산량과 판매량이 일치하지 않아서 기초 및 기말 재고자산의 수량이 변화하는 상황 즉, 재고수준이 변동하는 경우의 CVP분석은 변

56

동원가계산에는 영향을 미치지 않지만, 전부원가계산 하에서는 영향을 미치게 된다.

제3장 손익분기점을 활용한
기업의 경영체질 진단

Chapter 12. 손익분기점으로 경영체질 진단하기

1. 손익분기점으로 경영체질 진단하기

A사와 B사는 제조업체로서 매출액이 1,000백만 원이고, 영업이익이 200백만 원으로 같다. 그러나 변동비율과 고정비가 다르기 때문에 매출액이 증감하면 두 회사의 이익은 달라진다. 이 두 회사 중 어느 쪽이 이익 구조가 좋은 회사일까?

[도표12-1] 이익 구조가 좋은 회사는 어디인가

A사

(단위: 백만원)

과목	금액	%
매 출 액	1,000	100%
변 동 비	300	30%
공 헌 이 익	700	70%
고 정 비	500	
영 업 이 익	200	20%

BepS	714

매출액 20% 증가 (단위: 백만원)

과목	금액	%
매 출 액	1,200	100%
변 동 비	360	30%
공 헌 이 익	840	70%
고 정 비	500	
영 업 이 익	340	28%

매출액 20% 감소 (단위: 백만원)

과목	금액	%
매 출 액	800	100%
변 동 비	240	30%
공 헌 이 익	560	70%
고 정 비	500	
영 업 이 익	60	8%

B사

(단위: 백만원)

과목	금액	%
매 출 액	1,000	100%
변 동 비	600	60%
공 헌 이 익	400	40%
고 정 비	200	
영 업 이 익	200	20%

BepS	500

매출액 20% 증가 (단위: 백만원)

과목	금액	%
매 출 액	1,200	100%
변 동 비	720	60%
공 헌 이 익	480	40%
고 정 비	200	
영 업 이 익	280	23%

매출액 20% 감소 (단위: 백만원)

과목	금액	%
매 출 액	800	100%
변 동 비	480	60%
공 헌 이 익	320	40%
고 정 비	200	
영 업 이 익	120	15%

매출액이 20% 증가하여 1,200백만 원이 되었다고 하면 A사의 이익

은 340백만 원이 되는 데 비해 B사의 이익은 280백만 원에 그친다. 반대로 매출액이 20% 감소하여 800백만 원이 되었다고 하면 A사는 이익은 60백만 원으로 떨어지지만, B사의 이익은 120백만 원으로 A사보다 좋다.

이처럼 차이가 나는 이유는 두 회사의 변동비율과 고정비에 차이가 있기 때문이다. A사는 공헌이익률이 높은 대신 고정비가 많이 들어가고 B사는 고정비가 적은 대신 공헌이익률이 40%로 A사의 1/2수준이다. A사는 생산시설을 보유하고 있어 자사 생산 체제를 갖추고 있는데 비하여 B사는 외주 정책을 취하고 있음을 추측할 수 있다. 즉 A사는 자사 생산이기 때문에 고정비가 많이 드는 반면, B사는 외주 정책을 취하고 있어 변동비가 큰 것이다. BepS는 A사가 714백만 원, B사가 500백만 원이 된다.

이상의 내용에서 다음 두 가지를 알 수 있다. 공헌이익률이 높은 기업은 매출액이 증가하면 공헌이익률이 낮은 기업보다 영업이익이 큰 폭으로 증가하고 매출액이 감소할 때도 공헌이익이 낮은 기업보다 큰 폭으로 감소한다. 그리고 고정비가 높을수록 매출액 감소에 따른 이익은 고정비가 낮은 기업보다 큰 폭으로 감소하는 반면 고정비가 낮은 기업은 매출액 감소에 비교적 강하다.

손익분기점은 고정비와 공헌이익률에 의해 결정되는데 고정비와 공헌이익률의 관계를 4가지의 유형으로 설명할 수 있다.

높은 고정비와 낮은 공헌이익률의 기업으로 이익 창출이 어려운 유형에 해당한다. 두 번째 유형은 낮은 고정비와 낮은 공헌이익률의 유형으로 손익분기점이 낮기 때문에 불황에 상대적으로 강하다. 앞의 B사가 여기에 해당한다. 세 번째 유형은 고정비는 높고 공헌이익률도 높은 A사와 같은 기업으로 이익 폭이 큰 것이 특징이다. 마지막으로 낮은 고정비와 높은 공헌이익률의 유형으로 가장 이상적 기업이다.

2. 영업레버리지

(1) 의의

영업레버리지란 총비용 중 고정비가 차지하는 정도를 의미하며, 영업레버리지가 높은 경우 매출액이 변할 때 영업이익은 매출액이 변하는 비율보다 높은 비율로 변하게 되는데 이를 영업레버리지 효과라고 한다.

(2) 영업레버리지도

영업레버리지 효과는 영업레버리지도로 측정할 수 있다. 영업레버리지도(degree of operating leverage: DOL)는 매출액의 변화에 대한 영업이익 변화의 정도를 특정하는 지표로 다음과 같이 계산한다.

$$\text{영업레버리지도(DOL)} = \frac{\text{영업이익의 변화율}}{\text{매출액의 변화율}} = \frac{\text{공헌이익}}{\text{영업이익}} = \frac{1}{\text{안전한계율(*)}}$$

(*) DOL이 높다는 것은 고정비효과로 인하여 미래 사업의 변동성이 커질 수 있는 영업위험이 있다는 것이다. 따라서 DOL이 높아 사업이 위험하다는 것은 안전하지 못하다는 의미가 될 수 있으므로 DOL은 안전한계율의 역수가 된다. 안전한계율(margin of safety ratio)에 대한 자세한 내용은 Chapter 13을 참조 바란다.

영업레버리지도는 매출액이 1% 변화할 때 영업이익 몇 % 변화하는지를 나타내며, 위의 첫 번째 식을 변형하면 영업이익은 다음과 같이 계산할 수 있다.

> 변화 후 영업이익 = 변화 전 영업이익 × (1+매출액의 변화율×
> 영업레버리지도)

[도표12-1]의 두 기업의 영업레버리지도를 구하고, 판매량의 증가로 매출액이 20% 증가하는 경우 각 기업의 영업이익은 얼마인가?

①영업레버리지도(DOL)

(단위: 백만 원)

구분	A사	B사
공헌이익	700	400
영업이익	200	200
DOL	3.5	2.0

② 매출액 20% 증가 시 각 기업의 영업이익

변화 후 영업이익 = 변화 전 영업이익 × (1+매출액의 변화율×영업레버리지도)

A기업: 340 = 200 × [1 + (20% × 3.5)]
B기업: 280 = 200 × [1 + (20% × 2.0)]

Chapter 13. 기업의 안정성 측정하기

1. 손익분기점률

C사는 매출액 1,000백만 원에 영업이익은 200백만 원, D사는 매출액 600백만 원에 영업이익은 60백만 원이다. 매출액 영업이익률은 C사는 20%이고 D사는 10%이다.

손익분기점률이란 현재의 매출액에 대해 손익분기점 매출액이 어느 위치에 있는지 비율로 표시한 것이다. 계산식은 손익분기점 매출액을 실제 매출액으로 나누어 구한다.

[도표13-1] 손익분기점률

C사

(단위: 백만원)

과목			금액	%
매	출	액	1,000	100%
변	동	비	500	50%
공	헌 이	익	500	50%
고	정	비	300	
영	업 이	익	200	20%

BepS	600
손익분기점률[*]	60%

D사

(단위: 백만원)

과목			금액	%
매	출	액	600	100%
변	동	비	360	60%
공	헌 이	익	240	40%
고	정	비	180	
영	업 이	익	60	10%

BepS	450
손익분기점률[**]	75%

$$\text{손익분기점률} \quad = \quad \frac{\text{손익분기점 매출액}}{\text{실제 매출액}} \times \quad 100$$

(*) 60% = (600 ÷ 1,000) × 100
(**) 75% = (450 ÷ 600) × 100

실제 매출액보다 손익분기점의 매출액의 위치가 낮을수록 손익분기점률이 낮아지며, 손익분기점률이 낮을수록 기업의 안전성은 높다는 것을 의미한다.

2. 안전한계율

안전한계(margin of safety, M/S)란 실제 매출액이 손익분기점 매출액을 초과하는 금액을 말한다. 안전한계는 손실을 발생시키지 않으면서 허용할 수 있는 매출액(판매량)의 최대 감소 폭을 나타내기 때문에 기업의 안전성을 측정하는 지표이다.

안전한계 매출액(판매량) = 실제 매출액(판매량) − 손익분기점
매출액(판매량)

안전한계율(margin of safety ratio, M/S 비율)은 안전한계를 비율로 나타내는 것을 말한다.

$$\text{안전한계율} \quad = \quad \frac{\text{안전한계 매출액(판매량)}}{\text{실제 매출액(판매량)}} \times \quad 100$$

이 비율이 높을수록 회사의 경영은 안전성이 높으며 낮을수록 위험이 크다는 것을 의미한다.

(단위: 백만 원)

구분	C사	D사
안전한계	400	150
안전한계율	40%	20%

C사는 매출액이 400백만 원 감소해도 손실이 발생하지 않지만, D사는 150백만 원의 매출액이 감소하면 손실이 발생한다. 즉 안전한계가 높은 C사가 불황을 극복할 수 있는 경영 안전성이 높다.

3. 실제 매출액이 손익분기점 매출액을 초과하는 경우, 이익이 발생하는데 손익분기점에서 고정비가 회수되므로 영업이익은 아래와 같이 구할 수 있다. 영업이익은 안전한계의 공헌이익만큼 발생한다.

- 영업이익 = 매출액 × 안전한계율 × 영업이익률
- 영업이익 = 안전한계 매출액 × 공헌이익률

C기업: 200백만 원 = 1,000백만 원 × (40% × 50%)
D기업: 60백만 원 = 150백만 원 × 40%

Chapter 14. 손익분기점은 내리고 경영 안전성은 올리고

손익분기점률이 낮아진다는 것은 불황을 이겨낼 수 있는 위기 대처 능력이 그렇지 못한 기업보다 상대적으로 양호하다는 것으로 경영 안전성이 높다는 것을 의미한다.

손익분기점률을 낮추기 위해서는 분자의 손익분기점 매출액을 내리거나 분모의 실제 매출액을 높이는 두 가지 방법이 있다. 또한 고정비를 내릴 수 있는 정책이나 공헌이익률을 높이는 정책을 실현하는 것이 손익분기점 매출액을 내리는 효과적 방법이다.

1. 계정분석

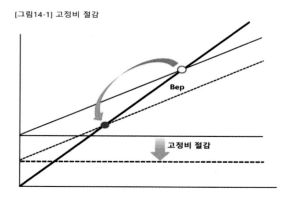

[그림14-1] 고정비 절감

Bep

고정비 절감

계정과목별로 어떤 목적으로 얼마나 사용했는지 분석하는 것을 계정

분석이라고 한다. 고정비에 대해서는 계정분석을 통하여 이들 비용의 사용 내용과 금액이 타당한지를 검토하여 고정비 절감 정책을 수립하고 실행하는 것이 중요하다.

　기업 규모에 맞는 예산 수립과 적정한 집행, 불필요하거나 중복되는 작업의 중단 등 업무 개선 활동과 지속적인 계정과목 분석 활동은 고정비를 절감하는데 있어 유효하게 연결된다.

2. 공헌이익률 개선

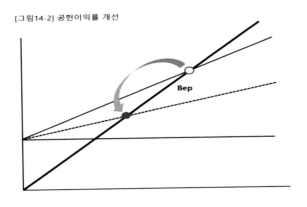

[그림14-2] 공헌이익률 개선

　공헌이익률은 개선하는 방법으로는 판매가의 인상, 변동비의 절감, 매출배합(sales mix)의 개선 등이 있다. 에누리와 반품의 감소, 재료 사용량의 표준화, 외주 가공에서 자체 생산 전환 또는 자체 생산에서 외주 가공으로 전환, 불량률 개선, 공헌이익률이 높은 제품 중심으로 매출 배합의 변경 등도 공헌이익률을 개선하는 방법이다.

3. 새로운 판매 채널의 개발과 신규 시장의 개척 및 신상품의 개발은 매출을 신장시킬 수 있는 중요한 전략이다.

매출액의 상승으로 손익분기점은 변하지 않으나 손익분기점률이 낮아지고 안전한계율은 올라간다.

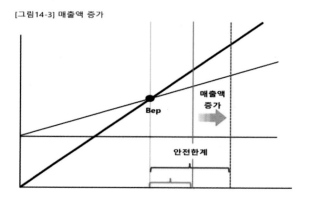

[그림14-3] 매출액 증가

Chapter 15. 영업이익 두 배 만들기

[도표15-1]의 변동손익계산서의 공헌이익률이 50%인데 5%P 개선되어 55%가 되었다고 하면 영업이익률은 몇 퍼센트 개선된 것일까?

공헌이익률이 55%가 되면 현재 영업이익 50백만 원에서 100백만 원으로 두 배나 증가한다. 이처럼 영업이익을 두 배로 올릴 수 있는 방법은 공헌이익률을 매출액영업이익률의 비율만큼 상승시키는 방법, 고정비를 영업이익만큼 감소시키는 방법 그리고 매출액을 일정 금액만큼 올리는 방법이 있는데 구체적으로 살펴보면 다음과 같다.

1. 공헌이익률 개선

매출액 영업이익률의 비율만큼 공헌이익률을 개선한다. (도표15-1 ①참조)
개선 전 공헌이익률 50% → 영업이익: 50백만 원
매출액 영업이익률의 5%만큼 공헌이익률 개선
개선 후 공헌이익률 55%(50% + 5%) → 영업이익: 100백만 원

2. 고정비 절감

영업이익 금액만큼 고정비를 감소시킨다. (도표15-1 ②참조)
개선 전 고정비 450백만 원 → 영업이익: 50백만 원

영업이익 50백만 원만큼 고정비 개선

개선 후 고정비 400백만 원(450백만 원 - 50백만 원) → 영업이익: 100
백만 원

3. 매출액 향상

영업이익을 공헌이익률로 나눈 금액만큼 매출액을 증가시킨다. (도
표15-1 ③참조)

개선 전 매출액 1,000백만 원 → 영업이익: 50백만 원

증가 목표 매출액 100백만 원(50백만 원 ÷ 50%)

개선 후 매출액 1,100백만 원(1,000백만 원 + 100만 원) → 영업이익:
100백만 원

[도표15-1] 영업이익을 두 배로 올리는 방법

[도표15-1] 영업이익을 두 배로 올리는 방법

(단위: 백만원)

과목	금액	%
매 출 액	1,000	100%
변 동 비	450	45%
공 헌 이 익	550	55%
고 정 비	450	
영 업 이 익	100	10%
BepS	818	
손익분기점률		82%

①공헌이익증가율= 공헌이익률+5%

(단위: 백만원)

과목	금액	%
매 출 액	1,000	100%
변 동 비	500	50%
공 헌 이 익	500	50%
고 정 비	450	
영 업 이 익	50	5%
BepS	900	
손익분기점률		90%

②고정비감소액= 고정비-50백만 원

(단위: 백만원)

과목	금액	%
매 출 액	1,000	100%
변 동 비	500	50%
공 헌 이 익	500	50%
고 정 비	400	
영 업 이 익	100	10%
BepS	800	
손익분기점률		80%

③매출액 증가액= 영업이익÷공헌이익률

(단위: 백만원)

과목	금액	%
매 출 액	1,100	100%
변 동 비	550	50%
공 헌 이 익	550	50%
고 정 비	450	
영 업 이 익	100	9%
BepS	900	
손익분기점률		82%

제4장 손익분기점을 활용한 의사결정

Chapter 16. 이익 극대화를 위한 주력 제품 선택

(주)이음은 A, B 두 제품을 생산·판매하고 있다. (주)이음의 마케팅 담당자는 A, B 두 제품의 이익을 [도표16-1]과 같이 계산하였다. (주)이음은 500개 정도 더 생산할 수 있는 생산 설비를 보유하고 있기 때문에 영업본부에서는 판매 전략을 수립하고 영업활동을 적극 전개할 계획을 세우고 있다. A, B 중 어느 제품을 생산·판매해야 회사의 이익을 극대화할 수 있을까?

[도표16-1] A제품과 B제품의 이익 비교

(단위: 천원)

과 목	A제품	B제품	총계
매 출 액	1,000	900	1,900
원 가	800	800	1,600
변동비	500	300	800
고정비	300	500	800
이 익	200	100	300

(제품 단위당 이익 비교)

(단위:개, 원)

과 목	A제품	B제품
	1,000	1,000
판 매 가 격	1,000	900
원 가	800	800
변동비	500	300
고정비	300	500
이 익	200	100

*고정비는 직접노무시간을 기준으로 배부하였음

A 제품 또는 B 제품을 각 500개 판매하였다고 가정하면 회사의 이익은 [도표16-2]와 같다. 참고로 의사결정을 위해서는 공헌이익, 변동비와 고정비의 성격 및 공헌이익과 변동비의 관계를 알고 있는 것이 필요하다.

A 제품의 단위당 공헌이익은 500원, B 제품의 단위당 공헌이익은 600원으로 공헌이익에 있어서는 B 제품이 100원 더 높다. 따라서 B 제

품을 선택하는 것이 5만 원(500개 × 100원) 정도 이익이 많아진다. 즉
공헌이익 높은 제품을 선택하는 것이 회사의 이익을 극대화할 수 있는
의사결정이 되는 것이다.

[도표16-2] 어느 제품을 선택할 것인가

(A제품을 500개 더 판매한 경우)

(단위: 천원)

과 목	A제품	B제품	총계
매 출 액	1,500	900	2,400
원 가	750	300	1,850
변동비	750	300	1,050
고정비			800
이 익	750	600	550

(B제품을 500개 더 판매한 경우)

(단위: 천원)

과 목	A제품	B제품	총계
매 출 액	1,000	1,350	2,350
원 가	500	450	1,750
변동비	500	450	950
고정비			800
이 익	500	900	600

매출액이 증감하더라도 고정비는 일정하고, 변동비는 매출액과 같이
증감하기 때문에 매출액과 변동비의 관계, 즉 제품별 공헌이익을 고려
하여 의사결정을 하여야 한다.

Chapter 17. 특별주문 수락 여부

(주)이음은 제조원가가 800원인 A제품을 1,000원에 판매하고 있으며 500개를 생산할 수 있는 유휴설비를 보유하고 있다.

주요 거래처 (주)케이로부터 A제품을 개당 700원에 500개를 구매하겠다는 제의를 받았다. 영업부장은 제조원가가 800원이기 때문에 1개당 100원의 손실이 발생하므로 특별주문을 거부할 생각이다.

회사의 이익을 극대화하기 위해서 거절할 것인가? 수락할 것인가?

특별주문을 수락할 것인지는 특별주문으로 인한 증분수익이 증분비용보다 크면 수락하고 작으면 거부한다. 특별주문과 관련하여 기존의 유휴설비의 존재 여부, 유휴설비가 존재 시 대체적 용도 여부, 기존시장의 영향 여부를 반드시 고려해야 한다.

(주)케이로부터 주문받은 500개에 대한 수락 여부를 결정하는 계산 과정은 다음과 같다.

(A제품의 원가 자료는 [도표16-1]의 A 제품과 동일하다.)

[도표17-1] 특별주문 수락

(단위: 원)

구분		금액
Ⅰ. 증분수익		350,000
1. 매출액 증가분(주문단가 × 주문량)	350,000	
Ⅱ. 증분비용		250,000
1. 변동비 증가분(단위당변동비 × 주문량)	250,000	
2. 고정비 증가분	-	
3. 기존 시장의 매출감소로 인한 공헌이익 감소분	-	
4. 유휴설비의 대체적 용도를 통한 이익 상실분	-	
Ⅲ. 증분이익(Ⅰ-Ⅱ)		100,000

'증분이익 ≥ 0'이므로 특별주문을 수락한다.

유휴설비가 존재하는 경우와 유휴설비가 부족한 경우로 나누어 의사결정 시 고려사항을 정리하면 다음과 같다.

① 유휴설비가 존재하고 그 대체적 용도가 없는 경우
기존의 설비만으로 특별주문량의 생산이 가능하다. 따라서 이 경우에는 특별주문 수락으로 인하여 증분수익과 증분비용을 고려하여 의사결정한다.

② 유휴설비가 존재하고 그 대체적 용도가 있는 경우
만약 유휴설비에 대한 임대 제의가 있다면 특별주문을 수락하기 위해

서는 외부에서 제시하는 임대료를 포기하여야 하므로 유휴설비의 대체적 용도를 통한 이익 상실 분을 기회비용에 포함해 의사결정을 하여야 한다.

③ 유휴설비가 없거나 부족한 경우
생산능력이 부족한 상태에서 특별주문을 수락하게 되면 생산능력의 확충, 기존 생산량 축소 또는 외부에서 구매하여야 한다. 이 경우에는 특별주문의 수락으로 인한 추가적인 설비원가 또는 판매량 감소분의 공헌이익 등의 기회비용을 포함해 의사결정을 하여야 한다.

[예제 17-1]

　(주)이음은 제조원가 800원인 A제품을 1,000원에 판매하고 있으며 500개를 생산할 수 있는 유휴설비를 보유하고 있다.

　거래처 (주)케이로부터 A 제품을 개당 700원에 700개를 구매하겠다는 제의를 받았다. 특별주문을 수락하게 된다면 기존의 판매량을 200개 감소시켜야 하고, 100,000원의 운송료가 추가로 발생한다. 특별주문에 대한 수락 여부를 결정하시오.

(A제품의 원가 자료는 [도표16-1]의 A 제품과 동일하다.)

[예제17-1] 기존제품의 판매량을 감소시키는 경우 특별주문 수락여부

(단위: 원)

구분		금액
I. 증분수익		490,000
1. 매출액 증가분(주문단가 × 주문량)	490,000	
II. 증분비용		550,000
1. 변동비 증가분(단위당변동비 × 주문량)	350,000	
2. 고정비 증가분(운송료)	100,000	
3. 기존 시장의 매출감소로 인한 공헌이익 감소분(공헌이익 × 감소 판매량)[*3]	100,000	
4. 유휴설비의 대체적 용도를 통한 이익 상실분	–	
III. 증분이익(I - II)		- 60,000

(*)기회비용: 특정 대안을 선택하기 위하여 포기해야 하는 효익(순현금유입액)

'증분이익 < 0'이므로 특별주문을 거절한다.

Chapter 18. 자가제조 또는 외부구입 결정

(주)이음은 A, B의 두 제품을 제조·판매하고 있다. 판매단가는 A, B 모두 1천 원이지만 경쟁 제품과 비교하여 품질은 낮고 가격이 높아 어떻게 할 것인지 고민하고 있다. 특히 B제품은 판매단가와 제조원가가 동일하여 판매가격을 내릴 수도 없는 상황이다.

(주)이음은 (주)케이로부터 B제품을 800원에 공급하겠다는 제의를 받았다. B제품을 (주)케이로부터 구매한다면 고정제조간접원가 등 고정비가 4십만 원 절감된다. 회사의 이익을 극대화하기 위해서 거절할 것인가? 수락할 것인가?

(주)케이로부터 제의받은 B제품의 구매 여부를 결정하는 계산과정은 다음과 같다.

(1) (주)이음의 현재 손익현황

[도표18-1] ㈜이음의 현재 손익 현황

(단위: 천원)

과 목	A제품	B제품	총계
매 출 액	4,000	1,000	5,000
원 가	3,400	1,000	4,400
변동비	2,400	500	2,900
고정비	1,000	500	1,500
이 익	600	0	600

(제품 단위당 이익 비교)

(단위:개, 원)

과 목	A제품	B제품
판매수량	4,000	1,000
판 매 가 격	1,000	1,000
원 가	850	1,000
변동비	600	500
고정비	250	500
이 익	150	-

*고정비는 직접노무시간을 기준으로 배부하였음

(2) B 제품의 외부구입 결정

기업이 제품생산에 필요한 부품 등을 자가제조할 것인가 외부에서 구매할 것인가를 결정하는 경우에는 자가제조 중단으로 인한 변동비 및 중단으로 인해 절감할 수 있는 회피가능고정원가를 고려하여야 하며, 기존 설비를 다른 용도로 사용함에 따라 발생할 수 있는 기회비용도 함께 고려되어야 한다.

① 기존 설비의 대체용도가 없는 경우
증분수익(변동원가 + 회피가능고정원가) > 증분비용(외부구입원가)이면 수락한다.

② 기존 설비의 대체용도가 있는 경우
증분수익(변동원가 + 회피가능고정원가 + 기회비용) > 증분비용(외부구입원가)이면 수락한다.

[도표18-2] 외부구입 여부 결정

(단위: 원)

구분		금액
I. 증분수익		900,000
1. 변동비절감(1,000개 × 500원)	500,000	
2. 회피가능원가(고정제조간접원가 감소액)	400,000	
II. 증분비용		800,000
외부구입원가(1,000개 × 800원))	800,000	
III. 증분이익(I - II)		**100,000**

'증분이익 ≥ 0'이므로 B제품을 (주)케이로부터 구입한다.

(3) B 제품 구매 후 (주)이음의 전체 손익현황

[도표18-3] 외부구입 후 ㈜이음의 손익

(단위: 천원)

과 목		의사결정 전 손익	원가		의삭결정 후 손익
			증	감	
매 출 액		5,000			5,000
원 가		4,400	-900	800	4,300
	변동비	2,900	-500	800	3,200
	고정비	1,500	-400		1,100
이 익		600			700

85

Chapter 19. 제품라인 또는 사업부의 폐쇄 여부 결정

제품라인 또는 사업부의 폐쇄 여부 결정이란 수익성이 낮은 제품의 생산라인 또는 수익성이 낮은 사업부를 제거할 것인지에 대한 의사결정을 하는 것으로 폐쇄로 인한 증분수익이 증분비용보다 크면 폐쇄하고 작으면 유지한다.

폐쇄 여부를 결정하는 문제는 해당 제품라인이나 사업부 자체의 이익만을 고려하여 결정하는 것이 아니라 기업 전체의 입장에서 전체 이익에 미치는 영향을 분석해야 한다.

또한 비재무적 질적 요소도 고려하여 결정하는 것이 바람직하다. 질적 요소란 ① 제품의 생산 중단으로 인한 대외적 이미지 ② 타제품의 판매에 미치는 영향 ③ 인원 감축에 따른 반발 가능성 등을 말한다.

제품라인 또는 사업부 폐쇄와 같은 유형의 의사결정을 위해서는 제품라인 유지 시 발생하는 공헌이익과 폐쇄하는 경우 절감할 수 있는 회피가능원가도 고려하여야 한다. 또한 기존 설비를 다른 용도로 사용함에 따라 발생할 수 있는 기회비용을 함께 고려하여야 한다.

예제로 그 과정을 살펴보면 아래와 같다.

[예제 19-1]

(주)PDS의 경영자는 제품 B에서 손실이 발생하므로 제품 B의 생산 중단 여부를 신중하게 고려 중이다. 다음은 (주)PDS의 손익계산서이다.

(단위: 천원)

과 목	A제품	B제품	C제품
매 출 액	9,000	6,000	15,000
변 동 비	3,600	4,800	8,100
공 헌 이 익	5,400	1,200	6,900
고 정 비	2,700	1,800	4,500
영 업 이 익	2,700	(600)	2,400

*고정비는 매출액에 비례하여 배부하였음

(아래 물음은 상호 독립적이다)

(물음1) 제품 B의 생산 중단 여부 결정

(단위: 천원)

구분		금액
Ⅰ. 증분수익		4,800
변동비감소	4,800	
Ⅱ. 증분비용		6,000
매출액감소	6,000	
Ⅲ. 증분이익(Ⅰ-Ⅱ)		- 1,200

▶ '증분이익 < 0'이므로 유지한다.

(물음2) 제품 B의 생산을 중단할 경우, 고정비에 포함된 인건비가 1,500천 원 절감되면 제품 B의 생산 중단 여부 결정

(단위: 천원)

구분		금액
I. 증분수익		6,300
1. 변동비감소	4,800	
2. 고정비감소(인건비 감소액)	1,500	
II. 증분비용		6,000
1. 매출액감소	6,000	
III. 증분이익(I−II)		300

▶ '증분이익 ≥ 0'이므로 중단한다.

(물음3) 제품 B의 생산 설비를 외부에서 1,000천 원에 임대하여 줄 것을 제안해 왔다. 이 경우, 제품 B의 생산 중단 여부 결정

(단위: 천원)

구분		금액
I. 증분수익		5,800
1. 변동비감소	4,800	
2. 임대료수익(생산설비 임대수입)	1,000	
II. 증분비용		6,000
1. 매출액감소	6,000	
III. 증분이익(I−II)		− 200

▶ '증분이익 < 0'이므로 유지한다.

Chapter 20. 제한된 자원의 사용

    기업은 생산 및 판매 활동을 하기 위해서는 다양한 자원을 투입하여야 한다. 그러나 일반적으로 자원은 한정되어 있으므로 기업은 어떤 제품에 우선하여 제한된 자원을 투입하여 얼마나 생산할 것인가를 결정하여야 한다. 경영자는 이러한 제한된 자원하에서 가장 효율적인 대안을 선택하여야 한다.

    제한된 자원을 고려하여 최적 의사결정을 위해서는 제품 단위당 공헌이익이 아닌 제한된 자원 당 공헌이익이 큰 제품부터 우선하여 생산하여야 한다.

    제한된 자원 단위당 공헌이익은 다음과 같이 계산한다.

$$\text{제한된 자원 단위당 공헌이익} = \frac{\text{제품 단위당 공헌이익}}{\text{제품 단위당 제약 자원 사용량}}$$

    예제로 그 과정을 살펴보면 아래와 같다.

[예제 20-1]

    (주)명지는 A, B의 두 제품을 생산·판매하고 있다. 이들 제품의 단위당 자료는 다음과 같다.

	A 제품	B 제품
판매단가	1,000	800
변동비	800	650
공헌이익	200	150

A 제품을 생산하기 위해서는 2시간, B 제품을 생산하기 위해서는 1시간의 기계 시간이 투입되어야 하며, 회사가 이용 가능한 연간 기계 시간은 1,000시간이다.

회사는 각 제품을 최소한 200단위 이상 생산하여야 한다면, 최적의 제품배합과 이때의 영업이익을 계산하는 과정은 다음과 같다.

(1) 제한된 자원 단위당 공헌이익 계산 및 생산 순위 결정

	A 제품	B 제품
단위당 공헌이익	200	150
제품단위당 기계시간	2시간	1시간
기계시간당 공헌이익	100	150
생산순위	2	1

(2) 최적 제품배합 산출

제한된 자원 단위당 공헌이익이 더 작은 A 제품을 최소한으로 생산하고, 남은 기계 시간 모두 B 제품을 생산하는 데 투입한다.

A 제품 : 200단위(400시간 투입)
B 제품 : 600단위(1,000시간 – A 투입시간 = 600시간 투입)

(3) 최적 제품배합 시 영업이익 계산 (고정비는 70,000원이다)

(200단위 × 200원) + (600단위 × 150원) – 70,000원 = 60,000원

Chapter 21. 대체가격 결정

    기업 내의 특정 부문에서 다른 부문으로 재화나 용역의 이전거래를 대체거래 또는 이전거래라고 하며, 대체되는 거래의 재화나 용역에 부여되는 가격을 대체가격이라 한다.

    대체가격은 공급사업부의 수익과 수요사업부의 원가에 영향을 미치는 중요한 요소이다. 따라서 합리적인 대체가격의 결정은 각 사업부의 정확한 성과측정과 기업 전체의 이익증진에 중요한 역할을 수행하게 된다.

1. 대체가격 결정 시 고려 사항

    ① 목표 일치성: 회사 전체의 성과가 최대가 되는 범위 안에서 각 사업부의 성과가 최대가 되도록 대체가격이 결정되어야 한다.
    ② 성과 평가: 각 사업부의 성과가 공정하게 평가될 수 있도록 대체가격이 결정되어야 한다.
    ③ 자율성: 각 사업부 경영자가 자율적으로 대체가격을 결정하여야 한다. 단, 자율성을 너무 중시하면 준 최적화 현상 발생.

2. 대체가격 결정방법

    ① 시장 가격 기준: 대체거래를 일종의 시장거래로 보아 시장 가격을

대체가격으로 결정하는 방법

　② 원가 기준: 부품의 시장 가격을 입수할 수 없거나 신뢰할 수 없는 경우에 주로 사용되는 방법으로, 공급사업부의 원가를 기준으로 하여 대체가격을 결정하는 방법

　③협상 가격: 각 사업부가 협상을 통하여 대체가격을 결정하는 방법

3. 결정 범위

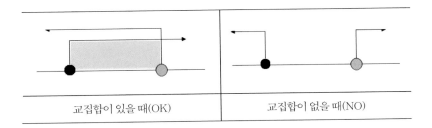

| 교집합이 있을 때(OK) | 교집합이 없을 때(NO) |

4. 구체적 가격 결정

(1) 공급사업부의 최소대체가격: ① 한 단위당 대체 시 증분지출원가(*) + ② 한 단위 대체 시 기회비용(**)

(*) 단위당 변동원가 증가분 + 단위당 고정원가 증가분
(**) 유휴설비의 대체적 용도를 통한 이익 감소분 + 기존 정규시장의 이익 감소분

(2) 수요사업부의 최대 대체가격: min(①외부구입 가격±수요사업부 원가 증감액, ②중간제품의 순실현가치(***))

(***) 중간제품의 순실현가치(NRV)=최종제품의 판매가격−단위당 추가 원가−단위당 판매비 등

예제를 통하여 대체가격 결정 과정을 구체적으로 살펴보면 아래와 같다.

[예제 21-1]

(주)경기컴퓨터는 A 사업부와 B 사업부로 구성되어 있다. A 사업부는 CPU를 생산하고 B 사업부는 이 CPU를 A 사업부로부터 구매하여 컴퓨터를 제조하여 외부에 판매하고 있다.

최근 A 사업부가 CPU의 가격을 180원으로 올린다는 내부 공문을 받은 B 사업부는 CPU를 외부의 업체로부터 구매하기로 결정하였다. B 사업부는 외부에서 CPU를 165원에 구매할 수 있다.

A 사업부는 내부대체가격을 올릴 수밖에 없는 이유에 대한 보고서를 작성하여 제출하면서 해결 방안을 모색하고 있다. 다음은 보고서 중의 일부 자료이다.

B 사업부의 연간 CPU 필요 수량	2,000단위
A 사업부의 CPU 단위당 변동원가	150원
A 사업부의 CPU 단위당 고정원가	50원

(아래 물음은 상호 독립적이다)

(물음1) A 사업부는 B 사업부가 필요로 하는 CPU를 생산하지 않는 경

우 여유 생산 설비의 대안적 사용처가 없다고 할 때 적정한 내부대체가격의 범위를 결정하고, 내부대체 시에 (주)경기컴퓨터가 얻을 수 있는 증분이익의 계산

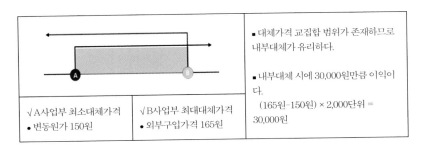

√A사업부 최소대체가격	√B사업부 최대대체가격
• 변동원가 150원	• 외부구입가격 165원

- 대체가격 교집합 범위가 존재하므로 내부대체가 유리하다.
- 내부대체 시에 30,000원만큼 이익이다.
  (165원-150원) × 2,000단위 = 30,000원

(물음2) A 사업부는 B 사업부가 필요로 하는 CPU를 생산하지 않는 경우 연간 4만 원의 현금흐름을 증가시킬 수 있고 B 사업부가 외부에서 CPU를 구매할 경우 (주)경기컴퓨터가 얻을 수 있는 증분이익 또는 손실 금액의 계산

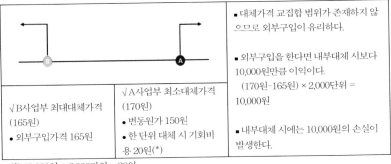

√B사업부 최대대체가격 (165원)	√A사업부 최소대체가격 (170원)
• 외부구입가격 165원	• 변동원가 150원 • 한 단위 대체 시 기회비용 20원(*)

- 대체가격 교집합 범위가 존재하지 않으므로 외부구입이 유리하다.
- 외부구입을 한다면 내부대체 시보다 10,000원만큼 이익이다.
  (170원-165원) × 2,000단위 = 10,000원
- 내부대체 시에는 10,000원의 손실이 발생한다.

(*) 40,000원 ÷ 2,000단위 = 20원

(물음3) A 사업부가 CPU를 외부에 단위당 185원에 전량 판매할 수 있다. B 사업부가 외부에서 단위당 165원에 CPU를 구매할 경우 (주)경기도컴퓨터가 얻을 수 있는 증분이익 또는 손실 금액 계산

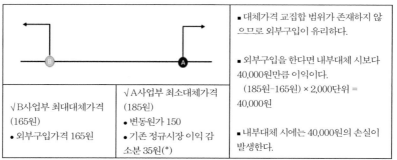

	√A사업부 최소대체가격 (185원)	■ 대체가격 교집합 범위가 존재하지 않으므로 외부구입이 유리하다.
√B사업부 최대대체가격 (165원) ● 외부구입가격 165원	● 변동원가 150 ● 기존 정규시장 이익 감소분 35원(*)	■ 외부구입을 한다면 내부대체 시보다 40,000원만큼 이익이다. 　(185원-165원) × 2,000단위 = 40,000원 ■ 내부대체 시에는 40,000원의 손실이 발생한다.

(*) 185원(판매가격) - 150원(변동원가) = 35원

제5장 손익분기점과 이익계획 세우기

Chapter 22. 목표이익을 달성하는 데 필요한 매출액 추정

손익분기점 분석에서는 이익이 『0』이 되는 매출액(판매량)을 분석하였는데, 손익분기점 공식을 응용하여 일정한 이익을 달성하는 데 필요한 매출액을 구할 수 있다. [Chapter 06. 손익분기점 공식]에서 이미 설명하였던 등식법을 응용하여 일정한 이익을 달성하는 데 필요한 매출액은 다음과 같이 계산된다.

1. 세전 목표이익 분석

(1) 손익분기점 공식(등식법): 매출액(S) - 변동비(VC) - 고정비(FC) = 0

(2) 목표이익을 달성하기 위한 매출액
  ① 매출액(S) - 변동비(VC) - 고정비(FC) = 목표이익(TI)[6]
  ② 매출액(S)-(매출액(S)×변동비율(VCR))-고정비(FC)=목표이익(TI)
  ③ S-(S·VCR)-FC=TI → S= (FC+TI)/(1-VCR)
  ④ 목표이익을 달성하기 위한 매출액

목표매출액	=	$\dfrac{\text{고정비}+\text{목표이익}}{(1-\text{변동비율})}$	S	=	$\dfrac{FC+TI}{(1-VCR)}$
목표매출액	=	$\dfrac{\text{고정비}+\text{목표이익}}{\text{공헌이익률}}$	S	=	$\dfrac{FC+TI}{CMR}$

---

[6] 목표이익(TI): Target Income

(3) 목표이익을 달성하기 위한 판매수량

① $(Q \cdot P) - (Q \cdot @VC) - FC = TI$

② $Q \cdot (P - @VC) = FC + TI$

③ $Q \cdot (P - @VC) = FC + TI \rightarrow Q = (TI + FC)/(P - @VC)$

④ 목표이익 달성하기 위한 판매수량

목표판매수량	=	$\dfrac{\text{고정비} + \text{목표이익}}{(\text{판매단가} - \text{단위당변동비})}$	Q	=	$\dfrac{FC + TI}{(P - @VC)}$
목표판매수량	=	$\dfrac{\text{고정비} + \text{목표이익}}{\text{단위당 공헌이익}}$	Q	=	$\dfrac{FC + TI}{@CM}$

2. 세후 목표이익[7] 분석

(1) 목표이익을 달성하기 위한 매출액

목표매출액	=	$\dfrac{\text{고정비} + \dfrac{\text{세후목표이익}}{1 - \text{세율}}}{(1 - \text{변동비율})}$	S	=	$\dfrac{FC + \dfrac{TI}{(1 - t)}}{(1 - VCR)}$
목표매출액	=	$\dfrac{\text{고정비} + \dfrac{\text{세후목표이익}}{1 - \text{세율}}}{\text{공헌이익률}}$	S	=	$\dfrac{FC + \dfrac{TI}{(1 - t)}}{CMR}$

---

[7] 세전이익 − (세전이익 × 세율) = 세후이익

세전이익 = 세후이익 ÷ (1−세율)

(2) 목표이익을 달성하기 위한 판매수량

목표판매수량	=	$\dfrac{\text{고정비} + \dfrac{\text{세후목표이익}}{1-\text{세율}}}{(\text{판매단가}-\text{단위당 변동비})}$	Q	=	$\dfrac{FC + \dfrac{TI}{(1-t)}}{(P-@VC)}$
목표판매수량	=	$\dfrac{\text{고정비} + \dfrac{\text{세후목표이익}}{1-\text{세율}}}{\text{단위당 공헌이익}}$	Q	=	$\dfrac{FC + \dfrac{TI}{(1-t)}}{@CM}$

[예제 22-1]

컴퓨터를 제조·판매하는 (주)경기컴퓨터의 단위당 판매가격은 120,000원이다. 제품 단위당 변동원가는 100,000원이고, 총고정원가 8,000,000원이다.

(물음1) 손익분기점의 매출액과 판매량은?

BepS	=	$\dfrac{8,000,000}{17\%(*)}$	=	48,000,000원
BepQ	=	$\dfrac{8,000,000}{20,000}$	=	400단위

(*)20,000÷120,000 = 16.6667%

(물음2) 세전이익 2,500,000원을 얻기 위한 매출액과 판매량은?

$$S = \frac{(8,000,000+2,500,000)}{17\%(^*)} = 63,000,000원$$

$$Q = \frac{(8,000,000+2,500,000)}{20,000} = 525단위$$

$(^*)20,000 \div 120,000 = 16.6667\%$

(물음3) 법인세율이 30%일 때, 세후 이익 3,000,000원을 얻기 위한 매출액과 판매량은?

$$S = \frac{8,000,000 + \dfrac{3,000,000}{1-30\%}}{17\%(^*)} = 73,714,286원$$

$$Q = \frac{8,000,000 + \dfrac{3,000,000}{1-30\%}}{20,000} = 614단위$$

$(^*)20,000 \div 120,000 = 16.6667\%$

Chapter 23. 종합예산

1. 예산의 의의

 예산이란 미래에 대한 경영활동의 계획을 수립하고 이를 화폐가치로 표현한 것을 말한다.

2. 예산의 유용성 및 한계

(1) 유용성

 ① **경영 계획과 목표 설정**: 종합예산은 기업의 장기적 전략과 단기적 목표를 구체적으로 설정하는 데 용이하다.
 ② **자원 배분 최적화**: 예산을 통해 기업의 자원을 효율적으로 배분할 수 있다. 각 부서의 예산을 설정함으로써 필요한 자원이 적절하게 배분되고, 불필요한 자원 낭비를 줄일 수 있다.
 ③ **성과 평가와 피드백 제공**: 종합예산은 실제 성과를 예산과 비교하여 평가할 수 있는 기준을 제공한다. 이를 통해 각 부서의 성과를 정확히 측정하고, 필요한 피드백을 제공하여 개선할 수 있다.
 ④ **위험 관리와 통제**: 예산 과정에서 잠재적인 위험을 사전에 인식하고, 이를 관리할 수 있는 계획을 수립할 수 있다. 이는 기업이 예기치 않은 상황에 대비하고, 리스크를 최소화하는 데 도움이 된다.
 ⑤ **의사결정 지원**: 종합예산은 경영진이 중요한 의사결정을 내리는 데 필요한 정보를 제공한다. 예산을 통해 미래의 재무 상태를 예측하고, 다양한 시나리오를 검토하여 최적의 결정을 내릴 수 있다.

(2) 한계

  ① **유연성 부족**: 종합예산은 일반적으로 고정된 계획으로, 시장 상황이나 내부 환경의 변화에 신속하게 대응하기 어렵다. 급변하는 비즈니스 환경에서 이러한 유연성 부족은 단점이 될 수 있다.
  ② **시간과 비용 소모**: 예산 수립 과정은 많은 시간과 비용을 소모한다. 특히 큰 조직에서는 다양한 부서의 데이터를 수집하고 분석하는 데 상당한 자원이 필요하다.
  ③ **과도한 규제와 통제**: 엄격한 예산 관리는 창의성과 혁신을 저해할 수 있다. 예산을 준수하는 데 중점을 두다 보면, 새로운 아이디어나 기회를 추구하는 데 소홀해질 수 있다.
  ④ **부정확한 예측**: 예산은 미래의 수익과 비용을 예측하는 과정에서 불확실성을 내포하고 있다. 잘못된 가정이나 예측은 부정확한 예산을 초래하여 경영 의사결정에 악영향을 미칠 수 있다.
  ⑤ **동기 부여 저하**: 예산 목표가 너무 높거나 낮으면 직원들의 동기를 저하시킬 수 있다. 비현실적인 목표는 직원들에게 스트레스를 주고, 너무 낮은 목표는 성과를 높이는 데 효과적이지 않을 수 있다.

  종합예산은 경영 계획과 자원 배분에 있어 중요한 도구이지만, 그 한계 또한 명확하다. 따라서 기업은 예산 수립과 관리 과정에서 이러한 유용성과 한계를 균형 있게 고려하여 효과적으로 활용해야 한다.

3. 종합예산의 편성 절차

 종합예산의 편성은 일반적인 원가 흐름과 반대로 편성한다. 즉, 종합
예산의 편성은 판매예측을 통해 판매예산을 수립하고 판매량을 생산할
제조예산을 수립한다. 이후 제조예산을 기초로 직접재료원가, 직접노
무원가, 제조간접원가에 대한 예산을 수립한다. 통상적으로 예산재무
제표를 작성하는 것으로 종합예산 편성 절차는 완성된다.

4. 손익분기점 공식을 활용한 판매예산 수립(매출액 추정) 프로세스(*)

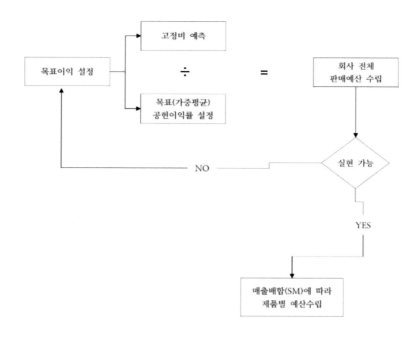

(*) 종합예산은 기업의 모든 부서와 활동을 포괄하는 예산으로, 이를 편성하는 과정은 부서 간 이해관계의 충돌 등 매우 체계적이고 복잡한 과정적으로 이루어지는 것이 일반적이다.

다만, 제시하는 판매예산 수립 프로세스를 잘 활용하면 효율적으로 예산을 편성할 수 있다. 종합예산의 편성 절차는 일반적으로 다음과 같은 단계로 구성된다.

1. 경영 목표 설정

전략적 계획 수립: 종합예산을 편성하기 전에 기업의 장기적 목표와 전략을 명확하게 수립한다. 이는 기업의 비전과 목표를 설정하고, 이를 바탕으로 예산 편성 방향을 결정하는 단계이다.

2. 예산 지침 배포

예산 지침서 작성 및 배포: 예산주관부서는 각 부서에 예산 편성 지침서를 배포한다. 이 지침서는 예산 편성의 기본 원칙, 가정, 목표, 일정 등을 포함하며, 각 부서가 일관된 기준에 따라 예산을 편성하도록 한다.

3. 세부 예산 초안 작성

판매예산 편성: 판매 부서에서 예상 매출액을 추정하고, 이를 바탕으로 생산 계획과 마케팅 비용 등을 설정한다.

제조예산 편성: 생산 부서에서 영업 예산에 맞추어 생산량을 결정하고, 원재료, 노동력, 제조 간접비 등의 예산을 수립한다.

기타부서 예산 편성: 연구개발, 인사, 재무 등 기타부서들도 각자의 세부 예산을 작성한다. 각 부서는 예상되는 비용과 필요한 자원을 구체적으로 명시해야 작성한다.

4. 예산 통합 및 조정

부서별 예산 통합: 모든 부서의 세부 예산 초안을 통합하여 종합예산 초안을 작성한다.

이 과정에서 중복되거나 누락된 항목이 없는지 확인하고, 부서 간 조정을 통해 일관성을 유지한다.

예산 조정 회의: 각 부서의 책임자와 경영진이 모여 예산 초안을 검토하고 조정한다. 필요시 각 부서의 예산을 수정하여 전체적인 목표와 조화를 이루도록 한다.

5. 예산 승인

최종 예산안 작성: 통합 및 조정된 예산 초안을 바탕으로 최종 예산안을 작성한다.

이사회 승인: 최종 예산안은 이사회의 승인을 받아야 하며, 이를 통해 예산이 공식적으로 확정된다.

6. 예산 집행 및 관리

예산 집행: 승인된 예산을 각 부서에 전달하고, 예산에 따라 활동을 수행한다.

예산 모니터링 및 통제: 예산 집행 과정에서 실제 비용과 예산을 비교하여 차이를 분석하고, 필요한 경우 조치를 취한다. 정기적으로 예산 집행 상황을 보고하고, 성과를 평가한다.

7. 피드백 및 수정

성과 평가 및 피드백: 예산 기간 동안의 성과를 평가하고, 피드백을 통해 다음 예산 편성에 반영한다. 예산 편성 과정에서 발견된 문제점이나 개선 사항을 정리하여, 이후의 예산 편성에 적용한다.